S0-BYJ-884

Ulm

Contents:

Contenu

© 1999, Edm. von König-Verlag, D-69232 Dielheim, P.O. Box 1027

Internet: www.verlag-koenig.de

Photos: Reinhold Mayer, Ulm

Text/Texte: Herbert Dörfler, Oberstudiendirektor, Ulm

ISBN: 3-921 934-47-8

All rights reserved, also those affecting reproduction by photo-mechanical means.
Tous droits réservés, y compris la reproduction fragmentaire ou la photoreproduction totale.

In the same series: Dinkelsbühl – Heidelberg – Rhein – Rothenburg ob der Tauber – Würzburg - Freiburg – Schwarzwald
Déjà parus dans la même série: Heidelberg – Le Rhin – Rothenburg ob der Tauber – Würzburg – Freiburg – Schwarzwald

Order no./Ordre n°: 02640010

Ulm

a living city / une ville vivante

Herbert Dörfler
Reinhold Mayer

Kunstverlag Edm. von König, Heidelberg/Dielheim

Ulm – a living city

When we hear the name Ulm, we may well think of Ulm's Münster with its steeple, the highest in the world, soaring to approximately 530 ft. (161.5 m) or of the city's museum, the **Brotmuseum**, the **Bundesfestung**, or of its theatre, its Fishermen's Quarter, or Friedrichsau, Ulm University and Technical College, of Ulm as a city of science with the Science Park and institutes, the Art Path, the Botanical Gardens, Ulm's art, the originals of Spatz and Schneider, and not least of the city's festivities, **Nabada** and **Fischerstechen**.

The city of Ulm has 117 000 inhabitants, and together with the Bavarian city of Neu-Ulm it constitutes the centre of a large region.

Ulm, once a mighty imperial city rich in history, has risen to its present status thanks to trade, commerce and industry. Ulm **barchent** or fustian manufactured here is sought after all over the world, brought riches to the city and has spread the name of Ulm far and wide. Today, Ulm's industry and university are carrying on this tradition. One thinks of Ulm's trucks and the firm of Magirus (Iveco today), lorries referred to as "the big bulls", ever ready for duty whether in Siberia's bitter cold or in the torrid heat of the desert, and of the buses manufactured by Euro-Bus which comfortably carry tourists from one place to another all over the world. Then there are the snow ploughs made by the same firm which plane the slopes for skiers both in Europe and the USA. Other firms enjoying an international reputation are Dasa, Wieland, Gardena, Anschütz, Brehm and Zwick. Ulm, university town, town of science, important focus, shopping centre, trade and fair centre, major supplier to hospitals, attractive culturally and offering a great deal as a place for recreation, rich in history and great buildings yet blessed with the cosy corner and the quiet lane, worth living in for those that inhabit it, attractive to those that visit it, Ulm is a living city. The life which pulsates within it is varied. The range of wares offered in every area is extensive, interests differ and competition is stiff. Each day, conflicting interests clash with one another, but these are the signs of life and every visitor who takes opportunity to look around him will experience Ulm as a city which has used the abundant tradition of its past to settle the problems of the moment and so secure the future.

Ulm, une ville vivante

Si l'on prononce le nom Ulm, on pense obligatoirement à la Cathédrale d'Ulm avec le clocher le plus haut du monde (161,5 m), au Musée d'Ulm, au Musée du Pain, à la forteresse fédérale, au théâtre, au Quartier des Pêcheurs, à la Friedrichsau, à l'Université et l'école spécialisée, à l'art d'Ulm, au moineau et au tailleur, et enfin aux fêtes d'Ulm comme Nabada et concours de pêcheurs. La ville d'Ulm, située au pied du Jura suabe, au confluent du Danube, de l'Iller et du Blau, porte de la Haute-Suabe, ville frontière avec la Bavière, compte aujourd'hui près de 117 000 habitants et forme avec la ville bavaroise Neu-Ulm un centre principal d'une grande région. Ulm, jadis une puissante ville libre impériale, riche par son passé historique, doit sa croissance et sa grandeur au commerce, à l'artisanat et à l'industrie. Le drap d'Ulm, la futaine, partout appréciée, apporta la richesse et colporta le nom d'Ulm par le monde. C'est aujourd'hui l'industrie d'Ulm qui prend la relève.

Les camions de l'entreprise Magirus (aujourd'hui Iveco), appelés «les taureaux forts», sont toujours prêts à l'action, que ce soit dans la froidure sibérienne ou dans la fournaise du désert. Dans presque tous les pays, les cars touristiques modernes de l'entreprise Euro-Bus garantissent un voyage agréable et confortable.

Les bulldozers de la même entreprise aplanissent les pentes de ski en Europe et en Amérique. Les entreprises Dasa, Wieland, Gardena, Anschütz, Brehm et Zwick jouissent également d'une renommée mondiale.

Ulm, ville universitaire, important centre industriel et commerçant, ville de foire, point principal de centres hospitaliers, à la vie culturelle interessante, aux offres de loisirs divers, Ulm riche en passé historique, imposante par ses bâtiments, idyllique dans ses angles et ruelles, estimable pour chaque habitant et attrayante pour chaque visiteur; Ulm est une ville vivante. Par bien des côtés la vie bat son plein dans cette ville: les offres individuelles sont abondantes dans tous les domaines, les intérêts différenciables et la concurrence dure; jour pour jour les controverses se heurtent dans les conflits d'objectifs différents.

Ulm – view towards the Minster and the Old Town
Ulm, Vue sur la cathédrale et la vieille ville

The most Important Dates in the City's History

854. First official mention of the name "Ulm" describing a royal palace.

1134. Destruction of the town by Duke Heinrich.

1140. Re-construction of the palace at Ulm under the Staufer king, Konrad III.

ca. 1165. After the erection of the city walls, Ulm receives the right to call itself a town and to mint money under the ordinance of Friedrich Barbarossa.

1316. The city precincts are extended to four times their area so as to comprise 67 hectares The two-mile long, double wall is so securely built and fortified that it can withstand any siege.

1376. Siege of Ulm by Emperor Karl IV. One of the consequences of this is that the parish church "To Our Lady" and the monastery of St. Michael, both formerly in front of the gates of the city, are desmantled and transferred to within the city precincts.

1377, 30th June. The corner-stone of Ulm Cathedral (Münster) is laid.

From 1380 on: The commencement of the extension of the city area. After Nuremberg, Ulm becomes the second largest imperial city in Germany with jurisdiction over three towns and about 80 villages.

1399. Re-building of Wengen Monastery.

1397. "Great Declaration on Oath" - the city's constitution, ends the quarrel between city nobility and the guilds and regulates the composition of the council, the mayor (nobility) and councillors consisting of 30 guild members and 10 patricians.

14th/15th centuries: The city reaches the zenith of its power. Ulm belongs to the largest cities in the country with 21 000 inhabitans.

Trade flourishes. Ulm fustian, a cloth woven from linen and cotton, is much prized everywhere.

1530: Citizens submit their names by ballot and thereby decide by a majority for the introduction of the Reformation.

1531: Iconoclasm, 12 churches, 30 chapels and 60 altars are destroyed in the cathedral.

1546. Ulm submits to Emperor Karl V. The city's constitution is exchanged for an aristocratic one. Ulm declines in economic and political importance.

Les dates historiques importantes de la ville

854: Première mention certifiée du nom d'Ulm

vers 1165: Après la construction des remparts Ulm reçoit de l'Empereur Frédéric Barberousse, le droit de ville et de battre monnaie.

1316: La superficie de la ville se quadruple à 67 ha, et l'on fortifie la ville d'un double mur de 3,4 km de long de telle sorte qu'elle resiste à chaque siège.

1376: Siège d'Ulm par l'Empereur Charles IV. Conséquence: L'église paroissiale "Notre-Dame" et le couvent Wengen St Michael, tous deux devant les portes de la ville sont démolis et transférés dans la ville.

1377: Le 30 juin, la première pierre de la cathédrale d'Ulm est posée.

à partir de 1380: Début de l'agrandissement de la ville. Avec le territoire de 3 villes et d'environ 80 villages, Ulm devient, après Nuremberg la deuxième ville impériale d'Allemagne.

1397: "Grande Lettre de Serment de fidélité", la constitution de la ville met fin aux confrontations entre les patriciens et les corporations et règle l'attribution du poste de maire (patriciens) et des conseillers municipaux (30 corporations et 10 patriciens).

14/15ème siècle: La ville atteint le point culminant de son pouvoir. Avec 21 000 habitants Ulm fait partie des grandes villes du pays. Le commerce prospère, le drap d'Ulm, la futaine, un tissu mi-lin, mi-coton est partout appréciée. La construction de la cathédrale attire des artistes éminents. Hans Multscher, Jörg Syrlin, Michael Erhard, Bartholomäus Zeitblom, Martin Schaffner, Hans Acker et Peter de Andlau créent de grands ouvrages. L'imprimerie du livre, depuis 1473 à Ulm, répand de précieux ouvrages littéraires et scientifiques ornés de gravures artistiques sur bois.

1530: Par vote nominal les bourgeois décident à la majorité l'introduction de la Réforme.

1531: Iconoclastie, 12 églises, 30 chapelles, 60 autels et la cathédrale sont détruits.

1546: Ulm se soumet à l'Empereur Charles Quint. La constitution de la Lettre de Serment est supprimée et remplacée par une constitution aristocratique. Ulm perd sa signification politique et écono-

Artists leave the town and Ulm is thereby impoverished.

1570. The shipping route Ulm - Vienna is established and continues until 1897.

1618-1648. Sieges, plundering, troop movements and epidemics severely affect the city during the Thirty Years War. The number of inhabitans falls to 13 000.

1626-1627. Johannes Kepler in Ulm.

1641. The first city theatre in Germany built here in Ulm.

1745. Maria Theresia and Emperor Francis I travel in royal procession consisting of one splendidly rigged boat and 34 small barges from Ulm to Vienna.

1802. End of Ulm as an imperial city. It is incorporated into Bavaria.

1810. Ulm goes over to Württemberg.

1811. Albrecht Berblinger, the Tailor of Ulm, fails to flee the city. In the same year, the King of Württemberg puts 2 000 gulden at the city's disposal for the erection of the Friedrichsau.

1842/67. The city is built out so as a bring work to its inhabitants and economic recovery.

1890. Completion of the Münster (Cathedral) tower.

19th century. The beginnings of industrialisation, enlargement of the city and rapid increase in population from 11 500 (1823) to 43 000 in 1900.

1933. The National Socialists are invested with power in the city's Town Hall.

1938. The synagogne at Weinhof is burned down on the 10th November.

1944, 17th Dec., the worst air raid on Ulm. 700 people die and 15 000 become homeless.

1945. The Armericans take over the city on the 24th April. Two-thirds of the city has been destroyed. 85% of the old town, 6 000 dead and missing. "You that are living, reflect" say the stones of Ulm cemetery.

1946. Beginnings of the reconstruction.

1955. Technical College for Design inaugurated.

1960. School of Engineering, today's Technical University, opened.

1967. University of Ulm founded.

1969. Inauguration of the new City Theatre (Stadttheater) in Olgastrasse.

1980. First State Garden Exhibition (Landesgartenschau) in Ulm.

1993. The Congress Centre opens.

1993. Inauguration of the Stadthaus city building.

mique. Les artistes quittent la ville, Ulm s'appauvrit.

1570: Début de la navigation sur le Danube, Ulm-Vienne jusqu'en 1897.

1618/48: Pendant la guerre de 30 ans Ulm est durement touchée par les sièges, par les passages de troupes, par les pillages et par les épidémies. La population se réduit à 13 000.

1626/27: Johannes Kepler à Ulm.

1641: Premier théâtre municipal d'Allemagne est construit à Ulm.

1802: Fin de la ville impériale d'Ulm. Ulm est rattachée à la Bavière.

1810: Ulm est rattachée au Wurtemberg.

1811: L'essai d'envol d'Albrecht Berblinger, le tailleur d'Ulm échoue. La même année le Roi de Wurtemberg fait don à la ville de 2 000 goulden pour la fondation de la Friedrichsau.

1842/67: La forteresse fédérale d'Ulm est achevée. Cette mesure apporte du travail aux habitants et un essor économique à la ville.

1890: Fin de la construction de la tour de la cathédrale.

19ème siècle: Commencement de l'industrialisation, agrandissement de la ville et rapide accroissement de la population de 11 500 (1823) à 43 000 (1900).

1905/25/27: Les banlieues, Söflingen, Grimmelfingen et Wiblingen sont rattachées.

1933: Les nationaux-socialistes prennent pouvoir de la mairie d'Ulm.

1938: Le 10 novembre la synagogue de la Weinhof est totalement détruite par le feu.

1944: Le 17 décembre le plus important raid aérien sur Ulm: 700 personnes sont tuées, 15 000 sont sand abri.

1945: Entrée des Américains à Ulm, le 24.4. Les deux tiers de la ville sont détruits, 85 % de la vieille ville, 6 000 morts et disparus sont à déplorer. "Vous les vivants, souvenez-vous", les pierres tombales du cimetière d'Ulm vous y exhortent.

1946: Commencement de la reconstruction.

1955: L'école supérieure de modelage (HfG) est inaugurée.

1960: Ouverture de l'école d'ingénieurs aujourd'hui Grande Ecole.

1967: Fondation de l'université d'Ulm.

1980: Première exposition horticole du Land à Ulm.

1993: Inauguration du Centre des congrès.

1993: Inauguration de l'Hôtel de Ville.

Ulm Cathedral (Das Ulmer Münster)

Ulm's landmark, its cathedral, can be seen for miles around, a piece of superb architecture boasting the highest church steeple in the world 530 ft high (161,5 m). Built for the worship of God more than 600 years ago as a parish church for the city's inhabitants and at whose construction they could display their talents, it became a symbol of independence and a sign of prestige and wealth.

In 1316, the city's precincts were extended to include some 66.6 hectares. The parish church, "To Our Dear Lady Above the Fields", was not included within the city walls. Thus, the city council decided to pull it down and re-erect it within the city after finding that the church could not be attended during the siege of 1376 under Emperor Karl IV. On the 30th June, 1377, three hours after sunrise, the town's mayor, Ludwig Krafft, acting on behalf of the city council, the clergy and citizenry laid the corner-stone of what was to be a parishioners' church. The parish church, which only a 100 years later became the city's "Münster", was financed from public funds and from the sacrifices made by the community as a whole. Heinrich Parler was commissioned with its building and he and his two sons, Michael and Heinrich, planned and built the nave in the Gothic style in the years between 1377 and 1391. Ulrich von Ensingen (1392-1419) extended the ground plan to the west, raised the central nave, planned a gigantic west tower and transformed it into a three-nave basilica. It was consercrated in 1405. Only a 100 years after laying the foundation stone were choir, central and side naves fitted with arches.

Matthäus Böblinger, the cathedral's builder in the years between 1477 and 1494, drew up a new plan for the west tower which, however, was only realised 400 years later. The master architect could not continue to build. Damage occurred, cracks became visible and stones fell into the interior. He is said to have made off secretly. The new architect, Burkhard Engelberg (1494-1512) from Augsburg who in his time was the best of builders, saved the Münster by employing re-inforcing techniques. He strengthened the foundations, integrated the tower with the principal building, erected a new row of

La cathédrale d'Ulm

Visible de loin, le symbole de la ville, la cathédrale d'Ulm avec sa splendide architecture, avec sa flèche la plus haute du monde (161,5 m).Edifiée il y a plus des 600 ans, en l'honneur de Dieu, signe extérieur de la bourgeoisie, église paroissiale et bourgeoise, symbole d'indépendance, signe de préstige et de richesse.

1316: La superficie de la ville fut quadruplée à 66,6 ha. L'église paroissiale "Notre-Dame des Champs" n'étant pas à l'intérieur de la fortification, ce fut ainsi que le conseil municipal décida de la faire démolir et la reconstruire à l'intérieur des remparts, puisque l'église n'était pas accessible pendant le siège de la ville par l'Empereur Charles IV en l'an 1376.

Le 30 juin 1377, trois heures après le lever du soleil, le maire Ludwig Krafft, par ordre du conseil municipal, en présence du clergé et des bourgeois posa la première pierre de l'église des bourgeois. L'église paroissiale, nommée cathédrale seulement 100 ans après, fut financée par les moyens de la municipalité et les dons de toute la bourgeoisie. Heinrich Parler fut chargé de la construction.Lui et ses fils Michael et Heinrich projettent et construisent une église en style gothique de 1377 à 1391. Ulrich de Ensingen (1392-1419)élargit le plan vers l'ouest, éleva la nef, projeta une immense tour du côté ouest et transforma ainsi l'église en une basilique à trois nefs. Elle fut consacrée en 1405. Seulement environ 100 ans après la pose de la première pierre (1470) les voûtes de la nef, du collatéral et du choeur furent achevées.

Matthäus Böblinger, maître d'oeuvre de 1477 à 1497, dessina un nouveau plan pour la tour ouest qui fut réalisé seulement 400 ans après. Matthäus Böblinger ne put continuer les travaux. Des endommagements apparurent, des fissures se produirent et des pierres tombèrent à l'intérieur de l'église. Il fuya Ulm à la cloche de bois. Le nouveau maître d'oeuvre, Burkhard Engelberg, 1494-1512, de Augsbourg qui possédait à merveille la technique de construction de son temps, sauva par des travaux de remaniements la cathédrale d'Ulm.

Ulmer Münster with its west tower (161,5 m) ▷
Cathédrale d'Ulm avec la tour ouest (161,5 m)

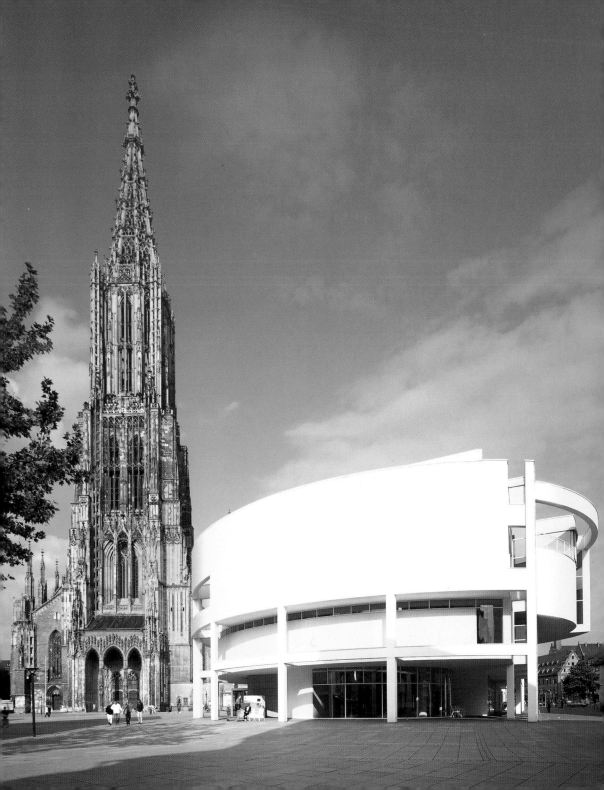

The "Man of Sorrows" at the west portal
Le Dieu de douleur au portail ouest (H. Multscher, 1429)

◁ *The west portal*
Portail ouest

columns in both side naves using star vaulting and so modified the minster to a five-nave basilica having a huge principal nave.

Completion of the building to one of the finest churches in the Gothic style took place as late as 1844-1890. In 1880, the two 282 ft east towers were completed and on the 31st May, 1890. Ulm Minster, after Cologne's Cathedral, is the greatest ecclesiastical building in Germany. It is 410 ft long, 160 ft wide, 136 ft high and has a total area of approx. 54000 sq. ft., took 513 years to complete the builder's workshop being kept locked from 1528 to 1844.

Distinguished artists in their own right decorated the church within and without. Meister Hartmann set up the main entrance with its rich decoration which includes 83 statues. Perhaps the most important sculpture of the late Gothic period appearing between the two entrance doors of the cathedral and portraying the "Man of Sorrows" (the original can be seen inside the church) is from the hand of Hans Multscher, 1429. The oldest parts of the church are said to be the portals on the north and south side of the minster and stem from the dismantled parish church "To Our Dear Lady".

The "Dreisitz" (1468) and the wonderful choir stalls (1469-1474) are accounted as one of the most beautiful and significant pieces of carving in German art and were produced in the workshop of Jörg Syrlin the Elder with Michael Erhartas his assistant. The realistically sculptored main busts to the left of the row of men represent Virgil (probably a self-portrait of Syrlin himself), Secundus and Quintillian, Seneca and Ptolemy, Terence and Cicero and Pythagoras and to the right where women are represented as sybils, the whole aspiring to the highest artists creation. Jörg Syrlin the Younger isd responsible for the holy water stoup (1507) and the sounding board of the pulpit (1510). The altar was painted by Martin Schaffner in 1521. The masters who created the Last Judgement, the font and the tabernacle have remained anonymous. The tabernacle, constructed between 1460 and 1480, is 85 ft (26 m) high and exhibits consumate artistry hewn in stone.

Il renforça la fondation, relia la tour au bâtiment principal et équipa les deux collatéraux d'une nouvelle rangée de colonnes avec une voûte en étoile. C'est ainsi que la cathédrale fut transformée en une basilique à cinq nefs dont la nef centrale était immense.

La construction de cette église gothique des plus belles fut seulement achevée dans les années 1844-1890.

En 1880 les deux tours est (86 m de haut) furent achevées et le 31 mai 1890 le maître d'oeuvre, August Beyer, termina la construction de la tour ouest en lui posant le fleuron.

La cathédrale d'Ulm, après le dôme de Cologne, l'église la plus grande d'Allemagne (125 m de long, 49 m de large, 41,6 m de haut, environ 6 00 m ^{2} de surface), fut terminée après 513 années (le chantier ayant été fermé de 1528 jusqu'en 1844) avec la flèche de clocher la plus haute du monde (161,5 m).

Des artistes éminents, des maîtres renommés en leurs arts ornèrent l'intérieur et l'extérieur de l'église. Maître Hartmann créa le portail richement décoré de 83 statues.

La sculpture la plus importante du style gothique tardif, entre les deux portes, est le Dieu de douleur, (statue originale aujourd'hui à l'intérieur) elle a été crée par Hans Multscher en 1429.

Les portails des côtés nord et sud sont les parties les plus vieilles. Ils sont d'origine de l'église paroissiale démolie "Notre-Dame". Le "Dreisitz" (1468) et les magnifiques stalles (1469-1474) des plus belles et importantes sculptures sur bois de l'art allemand furent crées dans l'atelier de Jörg Syrlin l'aîné, avec la participation de Michael Erhart. Les bustes les plus importants, à gauche la rangée des hommes avec Virgile (autoportrait de Syrlin), Sekundus et Quintillen, Sénèque et Ptolémée, Térence et Cicéron et Pythagore, à droite celle des femmes avec les sibylles, témoignent de la qualité artistique.

Jörg Syrlin le jeune créa la cuve baptismale (1507) et l'abat-voix de la chaire (1510).

L'autel du choeur (1521) fut peint par Martin Schaffner.

The ground plan of Ulm Cathedral ▷
Plan de la cathédrale

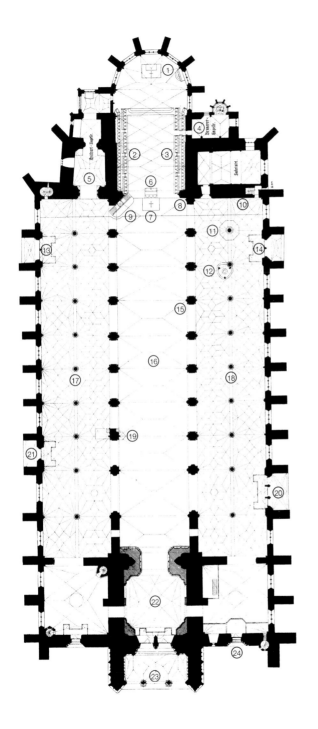

1. Choraltar (Schaffner)
2. Chorgestühl (Männerseite)
1. Chorgestühl (Frauenseite)
4. Bessererkapelle
5. Neithartkapelle
6. Dreisitz
7. Chorbogen mit Weltgericht und Triumphkreuz
8. Schmerzensmann Originalfigur (Multscher)
9. Sakramentshaus
10. Kargaltar
11. Weihwasserbecken
12. Taufstein
13. Nordostportal (Passionsportal)
14. Südostportal (Brauttor)
15. Gründungsrelief
16. Mittelschiff
17. Nordschiff
18. Südschiff
19. Kanzel mit Schalldeckel
20. Südwestportal (Marienportal)
21. Nordwestportal (Kleines Marienportal)
22. Turmvorhalle
23. Hauptportal mit Schmerzensmann (Kopie)
24. Eingang

The Münster showing the central nave and choir
Cathédrale, nef centrale avec choeur

The pulpit and its sounding board (1510) ▷
Relief / Font
Chaire avec abat-voix (1510)
Relief de la fondation / Cuve baptismale

◁ *Israel Window (H.G. Stockhausen, 1986)*
The Window of Promise (P.V. Feuerstein, 1985)
Fenêtre "Israël" (H.G. von Stockhausen 1986)
Fenêtre de la Promesse (P.V. Feuerstein 1985)

Choir with "Dreisitz" and tabernacle (26 m)
Le choeur avec la Trinité
et le tabernacle (26 m)

Choir stalls, men's side, from the studio of J. Syrlin the Elder, (1469-74)
Stalles, côté des hommes, de l'atelier de J. Syrlin l'aîné (1469-74)

Choir stalls showing Vergil, Ptolemy, ▷
the sibyls of Hellespoint and the Cuman sibyls
Stalles: Virgile, Ptolémée
Sibylle de Hellespont
Sibylle de Cumes

The choir altar (Martin Schaffner, 1521)
Autel du choeur de Martin Schaffner (1521)

The choir stalls showing Pythagoras ▷
Stalles du choeur: Pythagore

Pictagozas musice inventoz ·
fugada sunt omibz modis et abscunde
da · lagwoz a cozpe · impeicia ab anima

View to the east from Ulm Cathedral
Vue de la cathédrale d'Ulm sur l'est de la ville

◁ *Tower window with decoration*
Fenêtre avec fleuron

Ulm's Town Hall

After the cathedral, the Town Hall is probably the building most often photographed. Today's handsome town hall came into being after considerable modification. It consists of three complexes, the north wing, a Clothworkers' Hall (1357), a former shopping centre to the east and, to the south-west, a former half-timbered house. It was destroyed in 1944 and re-built in 1951 according to old plans. The south-east side with its corner bay is particularly striking with its splendid, late Gothic windows of the council chamber, the superbly painted facades, the chancel of homage and above it the clock gable with its astronomical timekeeper (1520), the tower and the finely interlaced, terra cotta roofing tiles. On the east side of the town hall's window we come across rather fine figures formed by Hans Multscher (ca. 1427). Charlemagne accompanied by two shield-bearers and the kings of Hungary and Bohemia (Originals in Ulm Museum). The windows facing south are adorned with statues of the six electors and are the work of Master Hartmann. On the north and the east side we find vived representations of human vice and virtue painted on the facades by Martin Schaffner in 1540. The south side also shows the coats of arms of cities, war scenes and a boat symbolising trade with the cities found on the Danube.
The section of the north was pulled down in 1539 and replaced by a building standing at right angles and having Renaissance arcades.
The Town Hall's interior displays very beautiful Ulm cupboards with inlay work and a replica of the flight equipment used by Albrecht Berblinger, the Tailor of Ulm, who, in 1811, tried to fly over the Danube. Everything which has taken place in the city and considerably influenced by Town Hall policy has been recorded and stored in 15 000 documents which have retained all the minutes of meetings without exception held by the city council from the year 1501, a record which occupies 2 952 ft (900 m) of shelving in the city archives where it is carefully preserved.

L'Hotel de ville d'Ulm

Après la cathédrale c'est l'Hôtel de ville le bâtiment le plus photographié. L'imposant Hôtel de ville d'aujourd'hui s'est formé par agrandissement et transformation de trois complexes: de l'aile nord, une maison de vêtements (1357), de l'ancien magasin du côté est (1370) et de la partie sud-ouest, une ancienne maison à colombages. Détruit en 1944 il fut reconstruit après la guerre (1951) d'après les vieux plans.
Remarquable est le coin sud-est, avec son oriel, des magnifiques fenêtres gothique tardif de la salle des conseiller, sa peinture de façades extrêmement riche, sa chaire à hommages, au-dessus le pignon d'horloge avec son horloge astronomique (1520), sa tour d'hôtel de ville et ses pignons en terre cuite.
A la fenêtre de l'Hôtel de ville du côté est on trouve des statues remarquables de Hans Multscher (vers 1427), au milieu l'Empereur Charlemagne avec deux écuyers, entouré des rois d'Hongrie et de Bohême (originaux dans le Musée d'Ulm).
Aux trois fenêtres sud il y a les statues de six Princes-électeurs, sculptées par Maître Hartmann.
Dans la peinture de façades de Martin Schaffner (1540) sur les côtés nord et est, la vertu et le vice humain sont vivement représentés. Le côté sud montre: emblème de la ville, scènes guerrières et bateau commercial d'Ulm, symbole du commerce avec les villes sur le Danube.La construction nord fut démolie en 1539 et remplacée par une construction transversale avec des arcades ouvertes renaissance.
A l'intérieur de l'Hôtel de ville on voit de très belles armoires em marqueterie d'Ulm et un modèle de l'appareil volant d'Albrecht Berblinger, tailleur d'Ulm avec lequel il voulait survoler le Danube en 1811. Tous les évènements de la ville qui ont particulièrement été influencés par la politique de l'Hôtel de ville sont retenus et écrits dans environ 15 000 documents, des procès-verbaux des conseillers sans lacunes (depuis 1501) et environ 900 mètres d'étagères de dossiers soigneusement gardés dans les archives de la ville d'Ulm.

The Town Hall showing the Syrlin Well to the south ▷
Hôtel de ville, côté sud avec Fontaine Syrlin

Town Hall to the north with its Renaissance arcades (1539)
Hôtel de ville, côté nord, construction transversale avec arcades renaissance (1539)

Town Hall to the east showing astronomical clock (1520) and the pulpit of homage
Hôtel de ville, côté est, horloge astronomique (1520) et chaire à hommages

Ulm's Museum

The city's collections of art and works on art history are extremely valuable examples both of ancient and modern artistic achievement which include those of national and international renown. The exhibits are divided into several sections.
1. That on pre-history informs the visitor of conditions in the Alb-Danube area prior to settlement and of its development.
2. In the artistic achievements of Ulm and Upper Swabia from the 14th to the 16th centuries, we come across works of the Ulm School by famous artists who were also concerned with the construction of the cathedral.
3. In the section dealing with the town's history which displays examples of Ulm's artistic skills which are valuable and unique (goldsmith's work and Ulm cupboards).
4. Well-known and well worth viewing is the collection of graphics drawn by modern masters such as Picasso, Braque, Gris, Klee and other.
5. This collection has been extended to include international works of art appearing after 1945. The Ulm Museum itself is a house in the Gothic style built in the 14th century and which was later adapted to become a Renaissance palace in the years 1598 to 1604. A chapel dedicated to St. Barbara (1372) once forming part of the original house has been incorporated into the museum building. The grand reception room of the building displays a superb sectioned ceiling.

The German Bread Museum

Established in 1955 by Dr h.c. W. Eiselen, managed by his son Dr H. Eiselen since 1981 and supported by the Eiselen foundation, this is a purely private institution. It has been located in the historic Ulmer Salzstadel since 1991. Here, there are illustrations of the natural history of cereal, the technical history of grinding and baking, the cultural and social history of bread and the history of hunger with its present significance.

Le Musée d'Ulm

Les collections municipales d'art et d'histoire de l'art possèdent un ensemble d'art ancien et moderne d'une très grande valeur d'importance nationale et internationale, divisées dans différentes sections.
1. La collection préhistorique nous informe sur l'histoire de la colonisation de la ville et le département «Alb-Donau».
2. L'art d'Ulm et du Haut-Souabe du XIVᵉ jusqu'au XVIᵉ siècle nous montre d'importantes œuvres de l'école d'Ulm d'artistes célèbres qui ont contribué à la construction de la cathédrale (Multscher, Syrlin, Erhart, Zeitblom, Schaffner etc.).
3. Dans la section de l'histoire de la ville avec ses précieux et uniques exemples d'artisanat d'Ulm (orfèvrerie et armoires d'Ulm), ses objets des corporations, ses plans et ses maquettes de l'histoire de la ville, on peut suivre le passé mouvementé de la ville libre impériale.
4. Dans la collection graphique du modernisme classique on peut voir des œuvres de Picasso, Braque, Gris, Klee etc… Celle-ci est aujourd'hui complétée par la nouvelle section:
5. Collection Kurt Fried: art international après 1945. L'éditeur, publiciste et expert reconnu en matière d'art en a fait don à la ville en 1978. De l'ancienne maison, la chapelle Ste-Barbara (1372) est conservée et intégrée au Musée. Dans la salle Kiechel, salle de fêtes, nous admirons le somptueux plafond à caissons de la Renaissance tardive.

Le Musée allemand du Pain

Fondé en 1955 par W. Eiselen, docteur «honoris causa», et dirigé depuis 1981 par son fils, le Dr Eiselen, le Musée du Pain, qui est financé par la Fondation Eiselen, est un institut entièrement privé. Il se trouve depuis 1991 dans les locaux du «Ulmer Salzstadel» historique. Ce musée constitue une curiosité unique en son genre. On y présente les céréales vues à travers l'histoire naturelle, l'histoire des techniques de broyage et de cuisson, l'histoire culturelle et sociale du pain, ainsi qu'un panorama historique de la faim et sa signification moderne.

Mary with Child created by a sculptor from the Allgäu at the end of the 15th cent. ▷
Shield-bearer is by H. Multscher (1427)
Encounter at the Golden Gate – L. Schongauer (ca. 1475)
"Yellow Sky" by Roy Lichtenstein, 1965
"Ant Street" – Günther Uecker, 1962
Marie avec l'Enfant, sculpteur sur bois de l'Allgäu (fin XVᵉ siècle)
Ecuyer, H. Multscher (1427)
Rencontre à la Porte d'Or, L. Schongauer (vers 1475)
Yellow Sky, Roy Lichtenstein (1965)
Planche à Clous – Route des Fourmis, Günther Uecker (1962)

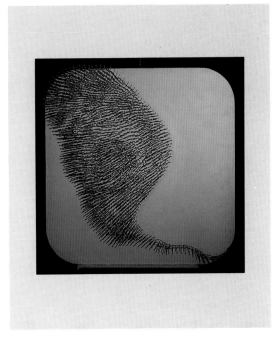

Kiechelsaal, a splendid room in the museum richly decorated with carved Ulm cupboards (1660)
La salle ''Kiechel'', salle d'apparat du musée avec des armoires d'Ulm, richement décorées (vers 1660)

The German Bread Museum (Deutsches Brotmuseum) showing a craftsman's certificate with a view of Ulm.
Delft ware, 1740
Model of "Lebkuchen" from Austria, 1648
Certificat de compagnon avec vue de la ville d'Ulm.
Faïences de Delft, 1740
Moule à pain d'épices, 1648

Weinhof – Fishermen's Quarter Fischerviertel

Walking along Kronengasse (Crown Lane) from the Market Place we reach Weinhof. Here stood royal "Pfalz", a high tower, Luginsland and a royal chapel. In 1612, they were pulled down and the House of Constitution (Schwörhaus) erected in their place. From the balcony of this building each year, on so-called **Schwörmontag** or Oath Monday, the Lord Mayor of Ulm gives account of the council's proceedings and repeats the great oath formulated in the Letter of Declaration sworn in 1397. "To rich and poor alike to remain a common man and in matters common and proper to all (to act) without reserve." Today, the House of Constitution is a city archive and the town's public library with 375 000 volumes.

Leaving the Weinhof and passing **Staufenmauer** (1220), the city's former defences with its great hewn stones and Staufer lions, we come to the Fishermen's Quarter once inhabited by tanners, dyers, millers, fishermen and boatmen. Here, we come across delightfully picturesque lanes and alleys, romantic corners, dreaming, half-timbered house typical of those found in Ulm examples of which are Schiefe Haus (15th cent.) a house built on posts, the Fishermen's Guild House (1490) in Fischergasse 31 and restored in 1975, the whole calling to mind the glory of the past.

From Fishermen's Little Square (Fischerplätzle) to be seen in the picture showing "Am Schönen Haus", Ulmer fishing folk brought wares, troops and emigrants into Danube territories. In the 18th century, the Swabians of the Danube emigrated to Hungary, their descendants returning in 1945 to their former homeland as refugees and exiles (see monument on the city walls).

At Wilhelmshöhe one catches a wonderful view of the Old Town below and, passing **Apothekergarten**, we find the Touch and Aroma Garden dedicated to the blind, laid out in 1980 within the framework of the Regional Garden Show and of which there are only a few examples in Germany.

Weinhof – Quartier des Pêcheurs

De la Place du Marché par la Kronengasse nous atteignons le Weinhof. Il y avait ici, le Palatinat royal, une haute tour, le "Luginsland" et la chapelle Palatine. Ceux-ci furent démolis en 1612 et à leurs places on érigea la Maison du Serment. Du balcon de la Maison du Serment, le maire de la ville d'Ulm rendait compte aux citoyens, le lundi du serment et renouvelait le serment de la Grande Lettre de Serment de 1397: "Etre fidèle et impartial envers riches et pauvres, de bonne foi dans toutes affaires communes et sans préjudice".

Aujourd'hui la Maison du Serment abrite les archives et la bibliothèque de la ville (avec 375 000 livres).

Du Weinhof le chemin passe par le Mur des Staufer (1220) avec ses pierres à bossage et ses lions, vers le Quartier des Pêcheurs, gîte des tanneurs, des teinturiers, des meuniers, des pêcheurs et des bateliers. Pittoresques maisons de long du Blau, charmantes ruelles étroites, coins romantiques, maisons à colombages typiques, La Maison Penchées (15ème siècle), une maison à pignon à colombages sur piliers et la maison de la corporation des bateliers (1490), Fischergasse Nr. 31, restaurée en 1975, ce sont là les témoignages d'une époque brillante.

De la Fischerplätzle (voir plaquette à la "Belle Maison") les bateliers d'Ulm transportaient des marchandises, des troupes et des émigrants vers les pays le long du Danube. Au 18ème siècle, les Souabes du Danube émigrèrent vers la Hongrie et dans le Banat. En 1945 ils revinrent en tant que réfugiés et expatriés dans leur pays d'origine (voir monument aux remparts).

En passant par la Wilhelmshöhe (magnifique panorama au-dessus de la vieille ville) et par le Jardin des Pharmaciens, nous atteignons le jardin, rare en Allemagne, "des odeurs et du toucher" pour les aveugles qui a été amménagé en 1980 lors de l'exposition horticole de Land. Sur les remparts ou de long du Danube, une des plus belles promenades, nous arrivons, après 20 mn, dans le parc de loisirs et de détente d'Ulm, la Friedrichsau.

"Schiefes Haus" (Crooked House) in the Fishermen's Quarter, a half-timbered house of the 15th century. ▷
Renovated in 1995, now an up-to-date guest house.
Maison Penchée dans le quartier des Pêcheurs, maison à colombages (XVᵉ siècle).
Rénovée en 1995, aujourd'hui pension de famille.

Fishermen's Quarter – "Little Venice"
Quartier des Pêcheurs, partie du Blau "Petite Venise"

The "Blue" ▷
Little Fishermen's Square
Fortified Staufer Wall (13th cent.)
"Blaubrücke" or Blue Bridge
Au bord du Blau
Fischerplätzle (petite place des pêcheurs)
Mur des "Staufer" (13ème siècle)
Pont du Blau

"At the Sign of the Trout", once a public house used by the fishermen showing the little bridge
À la Truite, autrefois auberge des pêcheurs avec passerelle

The so-called "Kissing Lane" and "Bridge of Lies" ▷
"Ruelle des baisers" avec "Pont des mensonges"

Friedrichsau

The city of Ulm has belonged to the "kingdom" of Württemberg since 1810. In May, 1811, King Friedrich visited Ulm for the first time. As a gift he brought 2 000 gulden for the setting up of an area dedicated to recreation and which later became the park bearing his name. At one time it was the most popular place as an excursion for Ulm inhabitants. However, in the 70's, this open area lost some of its attraction. Then, with the incidence of the Regional Garden Show, Baden-Württemberg and Bavaria which incorporated Ulm and Neu-Ulm, Friedrichsau experienced a revival in interest. No doubt the reasons for this were the newly laid-out green areas, the re-designed association garden and the re-modelled lakes, the new "celebration hill", an island reserved for occasions and festivities, an attractive, well-appointed children's playground and places where adults can also play minigolf, open-air chess and other games, all of which are enjoyed by visitors. In addition to these attractions, the bear cage with its two brown bears, the aquarium and the newly-erected hothouse for tropical plants with its alligators, apes and tropical birds are a great attraction, and so Friedrichsau has once become a focal point for Ulm folk to take their leisure.

Accordingly, greenery was introduced systematically to the town's city centre especially, but also to the town as a whole. Landscaping was employed as well as nature preserves introduced and new biotopes were set up.

With the coming of the Garden Show an exhibition of sculpture was also shown with an emphasis on free sculpture. This was on exhibition not only in Friedrichsau, but also in the city as a whole and displayed sculptored work from artists done over the last thirty years from all over the world.

Not far away from Friedrichsau there is a large exhibition area which also embraces the Donauhalle, a hall with a seating capacity for 3 000 another exhibition hall and a restaurant with a superb view to the lake. Here, in the spring and autumn, two large fairs are held which are very well attended. There is also an exhibition of pre-fabricated houses which can be visited all year round.

La Friedrichsau

Depuis 1810 la ville d'Ulm est attribuée au royaume de Wurtemberg. En mai 1811, le roi Friedrich se rend pour la première fois à Ulm et fit don de 2000 florins pour l'aménagement d'un parc de loisirs qui plus tard fut nommé Friedrichsau.

Autrefois c'était là un but d'excursions très apprécié. Dans les jardins on s'amusait et on aimait la compagnie.

Cependant dans les années 70 le parc n'était plus en vogue. Mais en 1980, lors de la première exposition horticole de Bade-Wurtemberg et Bavière, des villes Ulm et Neu-Ulm, la Friedrichsau connut une grande revalorisation.

Le parc renouvelé, les jardins restaurés, les lacs, la colline des fêtes, l'île de représentations, attrayants parcs à jeux pour enfants bien amménagés, les jeux pour adultes, mini-golf, échecs, boccia sont très appréciés par les visiteurs, ainsi que la cage à ours, l'aquarium et la nouvelle maison tropicale avec ses alligators, ses singes, ses oiseaux et plantes exotiques.

Aujourd'hui la Friedrichsau est à nouveau le parc de loisirs et de repos des citoyens d'Ulm.

Lors de plans de l'exposition horticole on a établi un catalogue pour la verdure de toute la ville. Systématiquement on a créé des parcs dans le centre ville, des parcs nationaux et des biotopes.

La ville d'Ulm est sur le meilleur chemin de devenir une ville verte. Durant l'exposition horticole des sculptures ont été exposées dans la Friedrichsau et dans toute la ville sur le plan international des 30 dernières années. Quelques oeuvres ont été acquises et installées dans le parc et sur les places de la ville.

A côté de la Friedrichsau s'étend un immense terrain de foire, avec le "Donauhalle" (3 000 places), des halls d'expositions et le restaurant de la "Donauhalle" avec une magnifique vue sur le lac. Deux grandes foires ont lieu au printemps et en automne et sont très visitées. L'exposition des maisons préfabriquées est ouverte toute l'année.

Bridge to the Friedrichsau with duck pond ▷
"Blühendes Tor" (Klein, 1980)
Friedrichsau entrance
Pont de la Friedrichsau avec étang à canards
Porte fleurie (Klein 1980) Friedrichsau, entrée

Tropical Plant House constructed for the Regional Garden Show in 1980
Maison tropicale, construite pour l'exposition horticole du Land en 1980

Friedrichsau avec le parc des expositions
Friedrichsau with fair grounds

◁ *Plastic statue near the "Kornhaus"*
"Einstein near the arsenal terrain"
Diagonal in the "Friedrichsau"
"Stelen", University (Bill 1980)
Plastique près de la "Kornhaus" (Schönholtz, 1978)
"Einstein près du terrain de l'arsenal" (Görtz, 1983/84)
Diagonale dans la "Friedrichsau" (Ramirez, 1980)
"Stelen", Université (Bill, 1980)

Plastic statue in the "Friedrichsau" (Hauser, 1980)
Plastique dans la "Friedrichsau" (Hauser, 1980)

Ulm today

The city has roughly 117 000 inhabitants and of these 20 000 are foreigners. The city of Ulm together with Neu-Ulm is the focal point of a large region and has many important centres and head offices. Trade and commerce, industry and other services account for some 90 000 jobs, and 54 000 commuters travel back and forth to the city each day. Twenty-eight thousand schoolchildren attend Ulm's schools and 12 000 of these come from outside the town.

Ulm Theatre, run on three levels, can count on 180 000 visitors a year. Ulm's hospitals, too, have a large catchment area, and these include the University Clinic, the Army Hospital and a rehabilitation centre. The University has a roll of 8000 students. Sport, too, is writ large in this city which has a stadium, large gymnasia, swimming pools and keep fit centres and courses and thus caters for 36 000 club members from 54 sporting clubs.

Ulm is also a favoured shopping centre. Its shops are varied and offer goods of quality over a wide range catering for every taste. Specialities are to be found in its cafés and in its restaurants. Ulm's centre, which is easy to reach either by bus or by car (five parking lots are already at hand), there is plenty of life in the pedestrian zones, in the town's newly-established squares, in those areas where there is very little traffic and in its residential areas. In the Salzstadel district, in Fishermen's Quarter and on Kreuz, fine residential buildings have come into being as the result of re-building measures.

A programme implemented in 1985 by Ulm council has improved the quality of the town centre and re-fashioned Cathedral Square (Münsterplatz), making this an exciting experience. Conscious of the rich heritage of the city, citizens' initiatives have been active in urging the council to preserve buildings of historical significance, this in the interests of conserving the unchanging city scene of Ulm and in so doing its attractiveness. These must remain.

St Nicolas Chapel (13th cent.)
Ulm bakehouse (1780)
Weekly market on Minster Square
Pedestrian zone at Hafengasse

Ulm aujourd'hui

La ville d'Ulm compte aujourd'hui environ 117 000 habitants, dont 20 000 sont des étrangers. La ville d'Ulm avec celle de Neu-Ulm est le centre principal d'une grande région avec beaucoup d'aménagements centraux importants.

Commerce et artisanat, industrie et prestation de services offrent 90 000 places de travail. 54 000 navetteurs vont travailler en ville. 28 000 écoliers fréquentent les écoles d'Ulm. 12 000 viennent de l'extérieur. Le théâtre d'Ulm enregistre environ 180 000 spectateurs par an.

Les hôpitaux d'Ulm, les hôpitaux universitaires, l'hôpital militaire et le centre de réhabilitation ont un grand recouvrement.

8000 étudiants étudient dans les universités. Les offres de loisirs sont variées. Des stades, des grands palais de sport, le Donaubad (aménagement piscine), piscine couverte et des circuits de santé offrent aux 36 000 membres des 54 associations sportives des possibilités variées.

La ville d'Ulm est appréciée comme ville d'achats et donc bien visitée. Les magasins bien assortis offrent pour chaque goût une marchandise de choix et de bonne qualité.

Nous trouvons les spécialités d'Ulm dans les cafés et la gastronomie. Le centre de la ville d'Ulm, facile à atteindre par bus ou voiture (cinq parkings couverts sont à disposition), est plein de vie, grâce à ses zones piétonnières, ses rues à circulation affaiblie, ses rues d'habitation et ses places vertes. Le quartier «Salzstadel», celui des Pêcheurs et sur le «Kreuz» ont été restaurés et sont ainsi devenus des quartiers résidentiels.

Un programme d'amélioration de qualité de vie en ville va mettre en valeur le centre ville.

Conscients du passé, les citoyens, par des initiatives privées, et l'administration de la ville se donnent la peine de sauvegarder des édifices protégés par la loi.

L'originalité et le charme de la ville d'Ulm doivent être préservés.

Chapelle Nikolaus (XIIIe siècle) ▷
Four d'Ulm (1780)
Marché sur la Place de la Cathédrale
Zone piétonnière, ruelle du Port

The houses on the town wall
Les maisons sur la muraille

◁ *Old Town – Rabengasse (Raven's Lane)*
Vieille ville, ruelle Raben

View from the city walls towards the cathedral
Vue des remparts sur la cathédrale

Fishermen's Quarter, Quartier des Pêcheurs ▷
Dreikannen, Loggia (1671)
The Beautiful House, La Belle Maison (1616)
The Cornhouse (1594), La Kornhaus

Hirschstrasse (Stag Street) with its pedestrian area and main shopping centre
Hirschstrasse, Zone piétonière, Rue commerciale

Berblinger's monument
Monument de Berblinger

The border between Ulm and Neu-Ulm at the Danube ▷
Centre principal Ulm / Neu-Ulm, le Danube en tant que frontière du Land

Gabled houses on the city walls
Maisons à pignons sur les remparts

St. Paul's Church (1910), a garrison church ▷
Büchsenstadel (1485) showing the House of Youth (Jugendhaus)
Zundeltor (Zundel Gate) with its Seel Tower (14th cent.)
"Butcher's Tower" (Metzgerturm), 1340
Église St Paul (1910), église de garnison
Dépot de fusils (1485), Maison de jeunesse
Porte "Zundel" avec tour "Seel" (14ème siècle)
Tour du Boucher (1340)

Dolphin Well (1585) in front of the Museum on the so-called Little Dove Square
Fontaine du dauphin (1585), devant le musée sur la Petite Place des Pigeons

◁ *Hanging signs: Ulm sugarbread*
Ulm Box (Ulmer Schachtel)
At the Golden Plough
Cathedral Bakery

Étalage: Pain sucré d'Ulm
Ulmer Schachtel (bateaux)
Charrue d'Or
Pâtisserie ''Cathédrale''

Tanner's houses with a view of the cathedral
Maisons des Tanneurs avec vue sur la cathédrale

Blaubeurer Gate, part of the city's fortifications ▷
New building (1585-1593) showing Hildegard's Well (1591)
The ''Lion Building'' (1666/67)
Porte de Blaubeuren, vieille enceinte
Nouvelle Construction (1585-1593) avec fontaine Hildegard (1591)
La bâtiment clit des lions (1666/67)

Dreifaltigkeitskirche (Trinity Church) built between 1617-1621, today The House of Encounter
Église da la Trinité (1617-1621), aujourd'hui maison de rencontres

Cathedral – view from Michelsberg
La Cathédrale, vue du Michelsberg

Ulm's Festivals

Ulm folk like to celebrate and that several times a year. Some 50 000 to 60 000 people take part in the Serenade of Light on Nabada. On a smaller scale, there is also a "Volksfest" and Fasching parade and the church festivities of "Posaunentag" and the Feast of Corpus Christi. Ulm's national festivity takes place on "Schwörmontag", the 3rd Monday in July and recalls the drawing up of the city's constitution in 1397. On this occasion, the city council, the populace and many prominent guests assemble at 11 o' clock on the Weinhof in order to hear the lord mayor's annual report and the council's justification for things undertaken. At the tolling of the clock's bell, the lord mayor reads from the great Declaration of Oath (see page 32). In the afternoon, young and old join together on the banks of the Danube in order to celebrate and to cheer the colourful procession taking place on the waters of the Nabada. Later, people wander off down to Friedrichsau to sit over a cool beer and a juicy sausage and while away the time happily. Every four years the Cooper's Guild go through their dances in historical costume and again, every four years, a Fisherman's Competition (Fischerstechen) takes place on the Danube. When the last notes of the Water March have died away, a small barge shoves off with three men in it from each bank of the river. At one end of each boat stands a man armed with a lance. When they reach the middle of the river, each lancer tries to pole the other into the water. The winner is he that remains dry. The festival is always accompanied by Ulm's originals, the Sparrow, the Tailor and "Basket-Weaver" (Krettaweber). The sparrow with a straw in his mouth sits on the Cathedral roof; he recalls the legend current among the builders of the minster who wanted to carry a beam through the city gate and is said to have told them that it could be better done by carrying it in endwise! The Tailor of Ulm, Albrecht Ludwig Berblinger (1770-1829), was a renowned pioneer in flying, while the "Krettaweber" (1858-1920) of Ulm was originally a street figure decked in a white or green apron carrying a basket (Kretta) over his arm. In Stentorian tones he would shout abuse of all that despleased him.

Les fêtes à Ulm

Les citoyens d'Ulm aiment fêter et cela plusieurs fois par an. 50 000 à 60 000 spectateurs participent à la "sérénade des lumières", au Nabada et à la "fête de la cité". Les fêtes populaires, les cortèges de carnaval ou les fêtes religieuses, la journée des trombones et la Fête-Dieu on lieu dans un cadre plus petit.

Le Lundi de Serment est la fête "nationale" d'Ulm, célébré le troisième lundi de juillet, en mémoire de la première constitution de la ville de 1397. Les conseillers, les citoyens et beaucoup d'invités éminents se recontrent à 11 heures au Weinhof, pour recevoir les comptes rendus du maire. Au son de la cloche du serment le maire renouvelle sont serment suivant la Grande Lettre des Serments (voir page 32). L'après-midi, vieux et jeunes se retrouvent au bord du Danube pour acclamer le magnifique cortège sur l'eau, le Nabada.

Ensuite tout le monde se promène dans la Friedrichsau et se réunit pour déguster la bonne bière et les succulents saucissons.

Tous les quatre ans la corporation des tonneliers représente ses danses dans de costumes historiques. La fête des pêcheurs a également lieu tous les quatre ans sur le Danube. D'après les rhythmes de la "marche de l'eau" des barques ramées par trois hommes appareillent de chaque rive. A l'arrière de la barque se trouve le combattant armé d'une lance. Au milieu du fleuve il essaye de jeter son adversaire à l'eau. Celui qui reste sec a gagné.

La fête est toujours accompagnée des originaux d'Ulm:

Le moineau avec une paille dans son bec est perché sur le toit de la cathédrale.

La légende dit que le moineau démontra aux maîtres d'oeuvres qui voulaient faire passer une poutre par une porte dans le sens de travers qu'il était plus pratique de la faire passer dans le sens de la longueur.

Le tailleur d'Ulm, Albrecht Ludwig Berblinger (1770–1829), était un pionnier et avant-gardiste important de l'idée de l'aviation. Le tisserand "Kretta" (1858–1920), un personnage original d'Ulm, habillé d'un tablier blanc ou vert et son panier (Kretta) sous le bras, rouspétait grossièrement sur tout ce qui ne lui convenait pas.

Serenade of Light, taking place on the Saturday before ''Schwörmontag'' or Oath Monday
La Sérénade des Lumières, le samedi avant le Lundi du Serment

Dance taking place in front of the decorated Town Hall
La danse des tonneliers devant l'hôtel de ville décoré

◁ *The Lord Mayor's Oath taken on the balcony of Constitutional House*
Discours du Maire du balcon de la Maison du Serment

Fishermen's joust on the Danube
"Fischerstechen" sur le Danube

◁ *Fishermen's Dance*
Dance of the Coopers'
Dance – Farmer and his wife with a jester
La danse des pêcheurs
La danse des tonneliers
La danse du paysan et paysanne avec des farceurs

Ulm originals/Originaux d'Ulm
"Griesbadmichel" and "Krettaweber"
Griesbadmichel et Krettaweber

The Sparrow and the Tailor
Moineau et Tailleur

◁ "Schwörmontag" or Oath Monday. "Nabada", procession on the water
Lundi du Serment, "Nabada", cortège sur l'eau

Ulm – Wiblingen

After the Reformation, Baroque art in building was hardly able to develop within the city. For that reason it is all the more pleasing to come across it outside the gates of the city in today's suburb of Wiblingn in the solidly-built, former independent Benedictine abbey at Wiblingen which, in 1093, was bestowed upon that order by the Duke of Kirchbegg.

The monastery we see today was erected in the period from 1714 to 1781 and its construction employed the services of a number of distinguished artists. Christian Wiedemann built the south and the north wings containing a wonderful library. The church of pilgrimage was completed in 1781 and consecrated to St. Martin on the 28th September, 1783.

The interior of the church which is light and dominated by white and gold, shows, despite its great ornateness the first signs of classicism in its ordered layout, dignity and reserve. The very fine ceiling paintings and that of the crucifixion were done by Januarius Zick. Their presence has to do with the relics taken from the cross of Christ which been preserved and honoured in the church since the time of the crusades. The great, late Gothic crucifix in the centre of the church comes from Ulm Cathedral and was carved by Michael Erhart (15th cent.). The chancel and the altar are the work of Benedikt Sporer and the group called "Sending out the Apostles" is by J. Schnegg while the choir stalls are by J. Christian. The adjoining monastery has become famous because of its library effected in the rococo style and is one of the finest buildings in southern Germany. The ceiling frescoes by Franz Martin Kuen, dedicated to heavenly wisdom, the architecture, sculpture, the stucco work and light all contribute to bestow a sense of complete harmony. The lifesize figures to be seen along the side symbolise the sciences: law, natural science, mathematics and history and those on the narrower side the virtues of monastic life: obedience, contempt of the world, faith and prayer. Both church and monastery were secularised in 1806. Wiblingen, part of the city of Ulm 1927, has 18000 inhabitants today.

Ulm – Wiblingen

L'architecture baroque à Ulm ne put pratiquement pas se développer après la Réformation. Nous la trouvons donc plus répandue devant les portes de la ville, dans le quartier de Wiblingen, par exemple dans l'imposante abbaye bénédictine libre de Wiblingen, qui fut donnée par les comtes de Kirchberg en 1903.

Le cloître actuel fut édifié entre 1714 et 1781, par d'éminents artistes et architectes.

Christian Wiedemann construisit l'aile sud et nord du cloître avec sa merveilleuse et fascinante bibliothèque.

D'après les plans de J. M. Fischer (1692–1766), le constructeur des églises de Ottobeuren et Zwiefalten, J. G. Specht érigea cette église de pélerinage entre 1772 et 1781. Elle fut consacrée à St Martin le 28.9.1783.

L'intérieur de l'église, espace lumineux en blanc et or, malgré sa grande splendeur, porte les premiers signes du classicisme par sa structure simple et claire, sa distinction et sa réserve. Januarius Zick a peint les magnifiques fresques et l'image de Crucifixion de l'autel. Elles ont rapport à la relique de la Croix Sacrée qui est gardée et adorée depuis les croisades.

La grande croix en style gothique tardif au centre provient de la cathédrale d'Ulm, sculptée par Michael Erhart (15ème siècle). La chaire et l'autel furent créés par Benedikt Sporer, le groupe en stuc "Mission des Apôtres" par J. Schnegg, et les stalles par J. Christian. Le cloître adjoint est devenu célèbre surtout par sa bibliothèque en style rococo, l'une des plus belles d'Allemagne du Sud. Les fresques au plafond de Franz Martin Kuen, dédiées à la Sagesse des Cieux, l'architecture, les plastiques, le stucage et la lumière forment une parfaite harmonie. Les plastiques de grandeur nature du grand côté symbolisent les sciences: Le droit, les sciences naturelles, les mathématiques et l'histoire; et du côté étroit les vertus de la vie monacale: obéissance, abnégation, foi et prière.

Cloître et église furent sécularisés en 1806. Wiblingen, rattaché à la ville d'Ulm depuis 1927, compte aujourd'hui 18000 habitants.

Library at Wiblingen Monastery ▷
Bibliothèque dans le cloître de Wiblingen

Monastery at Wiblingen with its chapel
Aménagement du cloître de Wiblingen avec église

Monastery church at Wiblingen
Église du cloître de Wiblingen

Ulm as university town

Even as far back as the 50s, Ulm felt the need to give special priority to building schools and this tendency has continued. In the years between 1972 and 1984 alone, 300 million marks were spent on schools and gymnasia. Moreover, in this the university and university-orientated educational establishments may not be left out. Thus, in 1955, the Design Centre on Kuhberg was built. Following the ideals of the Bauhaus in Weimar and Dessau, it is concerned with matters affecting civilisation and technology, the environment and environmental research. Unfortunately, this institute which had a good reputation, could not be continued.
In 1960, an engineering school was founded, today's "Fachhochschule am Gaisberg", which during this time has acquired a very high reputation in the state. There are 2300 students taking technical subjects here. The transfer of technological knowledge is practised and there is co-operation in the field of bio-medical technology with the University of Ulm. Ulm became a University town in 1967, the one being founded on 25th February as a university specialising in medicine and natural sciences.
There are 6000 students from Germany and from abroad currently studying here. Half of these are reading medicine and dentistry while the other half studies mathematics, biology, chemistry, physics and mathematics of economics. The University itself, remote from the doings of the town, stands in the middle of woods 2000 feet above the river at Eselsberg. The university clinics which serve a catchment area constituting 1.7 million inhabitants are to be found on Michaelsberg and Safranberg. That for internal medicine will be built on Eselsberg. Together with the Army Hospital (600 beds) and the Rehabilitation Centre (220 beds), both of which are to be found on Upper Eselsberg, the city and its immediate region are very well provided for in terms of medical care.
Southeast of the university buildings stretch the 16 hectares of Botanical Gardens.

Ulm, the first science city in Europe

The university, technical college, private research institutes, Science Park and Technological factory are all working on a closer co-operation between science, industry and commerce. Extensive research and future-orientated developments are taking place in five different technologies: information, biotechnology, material, energy and space technology.

Ulm – ville universitaire

Déjà dans les années 50, la ville d'Ulm commença à donner priorité à la construction des écoles et ceci continue encore aujourd'hui.
Rien que de 1972 jusqu'en 1984, des écoles et des halls de sport ont été construits pour 300 millions de DM.
Dans cette ville favorable aux écoles, les universités ne devaient en aucun cas manquer.
C'est ainsi qu'on réussit à installer en 1955 l'Ecole Supérieure de Modelage sur le Kuhberg. Suivant l'idée de la Bauhaus à Weimar et à Dessau, on se mit à exposer les projets de la civilisation technique, des recherches et des formes du monde environnant. Malgré sa bonne réputation cette école a dû fermer ses portes.
En 1960 l'Ecole d'Ingénieurs a été fondée, université actuelle sur le Gaisberg, qui le long des années s'est faite une excellente réputation dans le pays. 2300 étudiants suivent les cours techniques. On pratique un transfert de technologie et une bonne coopération dans le domaine de la technique bio-médicale avec l'université d'Ulm. En 1967 Ulm devient ville universitaire. Le 25 février l'université d'Ulm est fondée avec ses facultés de médecine et de sciences naturelles.
6000 étudiants de tous les Lands de la République Fédérale et de l'étranger étudient actuellement à Ulm. La moitié s'est inscrite à la médecine et à l'odontologie et l'autre moitié s'est décidée pour les mathématiques, la biologie, la chimie, la physique et les mathématiques économiques.
Les bâtiments universitaires se trouvent à 610 m au-dessus de la ville, en plein milieu de la forêt sur le Eselsberg.
Les hôpitaux universitaires, centre médical d'une région de 1,7 million d'habitants, se trouvent sur le Michaelsberg et le Safranberg.
L'hôpital de la pathologie interne est en construction sur le Eselsberg. Les soins médicaux de la ville et des alentours ont atteint leur maximum avec l'hôpital de la Bundeswehr (600 lits) et le centre de réhabilitation (220 lits), tous deux se trouvent également sur le Eselsberg.

The academic city of Ulm
Ulm, métropole scientifique
Daimler Benz research center
Le Centre de recherches Daimler Benz

The University of Ulm
L'Université d'Ulm
The military hospital
L'hôpital de la Bundeswehr

Ulm in Winter

As the days grow shorter and colder, a great deal takes place which is associated with the theatre, with adult education, get-togethers for old folk, youth assemblies, churches and clubs present their winter programmes and numerous activities get underway which concern either further education or some kind of entertainment.And, one can get to know others over a good glass of wine and a hearty, Swabian sandwich in one of Ulm's restaurants known for their excellent cuisine.

For the sportsman there are two ice rinks and, when snow falls, a carefully tended cross-country ski route "am Hochsträß" at his disposal.

In the weeks before Christmas, Ulm's city centre's Christmas decorations radiate light and the great Christmas tree on Münsterplatz invites the visitor to Ulm's **Weihnachtsmarkt**. Here, one can choose presents in an atmosphere warm of light from the decorated stands, the aroma of baked apples and soft music and the green of fir twigs, while in the churches the festival of love and peace is being prepared. May humanity also be prepared for the message of the season - "Honour to God in the Highest and goodwill to all men."

Ulm's citizens, who have not always been able to live in peace during their long, eventful history, once stamped this wish on their coin, the gulden of 1704: **Da pacem nobis domine**. May this wish be fulfilled not only for Ulm's citizens, but for its visitors and guests as well!

Ulm en hiver

Lorsque les jours se raccourcissent et se refroidissent, à Ulm commencent les théâtres, l'école populaire, les recontres du troisième âge, les maisons des jeunes, les églises et les clubs avec leurs programmes variés de formations et loisirs.

On se recontre avec plaisir devant un quart de vin et un savoureux casse-croûte dans les restaurants de la ville.

Deux pistes de patins à glace sont à disposition des sportifs actifs ainsi que de longues pistes de ski de fond sur le Hochsträß. Les jours avant Noël la cité d'Ulm illuminée par la décoration de Noël et le grand sapin sur la Place de la Ctahédrale invitent au "marché de Noël".

Les standes bien décorés avec leur ambiance charmante, leur verdure de sapin, leurs pommes odorantes cuites au four, leurs lumières chaudes et leur musique douce offrent des cadeaux de Noël.

Dans les églises, la fête de Noël, fête d'amour et de paix est préparée. Que les hommes soient réceptifs pour le message de Noël qui dit: "Honneur au Dieu dans les Cieux et Paix aux hommes sur la Terre".

Les citoyens d'Ulm, qui pendant leur longue histoire mouvementée souvent n'ont pas pu trouver la paix, ont gravé ce désir sur la face de leur florin d'Ulm de 1704.

"Da pacem nobis domine"

Que ce souhait soit réalisé pour tous les citoyens d'Ulm, ses visiteurs et ses hôtes.

Christmas market on Cathedral Square ▷
Marché de Noël sur la Place de la Cathédrale

Little Fishermen's Square showing the "Beautiful House" (Schönes Haus) (1616)
and Navigators' Guildhall (1490)
Fischerplätzle avec "Belle Maison" (1616)
et la Maison de la Corporation des bateliers (1490)

View of Ulm's Cathedral ▷
Vue de la Cathédrale

The Ulm Gulden of 1704
Le florin d'Ulm de 1704

Money was used up so quickly that one had to abandon the trimming of the coin and thus square coins were brought into circulation.

The significance of Ulm's money during the Middle Ages is testified to by the following saying:

> The power of Venice
> Ausgburg's splendour
> Strasbourg's artillery
> Nuremberg's humour
> And Ulm's money
> Rule the world.

Le besoin d'argent était tellement urgent qu'on renonça à tailler la monnaie et on fit ainsi circuler la forme carrée.

Les lignes suivantes témoignent la grande importance de l'argent d'Ulm au Moyen-âge:

> Le pouvoir vénitien
> La gloire d'Augsburg
> Les canons de Strasbourg
> L'esprit de Nuremberg
> Et l'argent d'Ulm
> Règnent le monde.

Literatur

1. Der Stadtkreis Ulm, 2. Ulm, Pflüger, 3. Ulm, Specker, 4. Ulm, Troll, 5. Ulm, Wiegandt, 6. Ulm, Weidlich, 7. Ulm, Neubronner, 8. Ulm, Beck, 9. Ulm, Lorenser, 10. durch Ulm, Stadtführer, 11. Ulm, Baedekers, 12. Ulmer Statistik, 13. Ulmer Profanbauten, Koepf, 14. Die Bundesfestung Ulm, Schäuffelen, 15. Soldat in Ulm, Kuckenburg, 16. Ködereien über Ulm, Hinz, 17. Das Ulmer Münster, Wortmann, 18. Das Ulmer Münster, Seifert, 19. Ulmer Münster, Lipp, 20. 600 Jahre Ulmer Münster, Specker, Wortmann, 21. Das Chorgestühl, Seifert, 22. Alte und neue Fenster, Seifert, 23. Marienportal, Lipp, 24. Bürgerfest um eine Bürgerkirche, 25. Ulmer Museum.